Chopin
2010

WYDANIE NARODOWE
DZIEŁ FRYDERYKA CHOPINA

NATIONAL EDITION
OF THE WORKS OF FRYDERYK CHOPIN

WALTZES
PUBLISHED POSTHUMOUSLY

NATIONAL EDITION
Edited by JAN EKIER

Foundation
for the National Edition
of the Works of Fryderyk Chopin

PWM
EDITION

SERIES B. WORKS PUBLISHED POSTHUMOUSLY. VOLUME III

FRYDERYK CHOPIN

WALCE
WYDANE POŚMIERTNIE

WYDANIE NARODOWE
Redaktor naczelny: JAN EKIER

FUNDACJA WYDANIA NARODOWEGO
POLSKIE WYDAWNICTWO MUZYCZNE SA
WARSZAWA 2023

SERIA B. UTWORY WYDANE POŚMIERTNIE. TOM III

Redakcja tomu: Jan Ekier, Paweł Kamiński

Komentarz wykonawczy i Komentarz źródłowy (skrócony) dołączone są do nut głównej
serii *Wydania Narodowego* oraz do strony internetowej www.chopin-nationaledition.com

Pełne *Komentarze źródłowe* do poszczególnych tomów będą publikowane oddzielnie.

Wydany w oddzielnym tomie *Wstęp do Wydania Narodowego Dzieł Fryderyka Chopina
– 1. Zagadnienia edytorskie* obejmuje całokształt ogólnych problemów wydawniczych,
zaś *Wstęp… – 2. Zagadnienia wykonawcze* – całokształt ogólnych problemów interpretacyjnych.
Pierwsza część *Wstępu* jest także dostępna na stronie www.pwm.com.pl

Walce przygotowane do druku i wydane przez Chopina zawarte są w osobnym tomie 11 **A XI**

Editors of this Volume: Jan Ekier, Paweł Kamiński

A *Performance Commentary* and a *Source Commentary (abridged)* are included in the
music of the main series of the *National Edition* and available on www.chopin-nationaledition.com

Full *Source Commentaries* on each volume will be published separately.

The *Introduction to the National Edition of the Works of Fryderyk Chopin*
1. Editorial Problems, published as a separate volume, covers general matters concerning the publication.
The *Introduction… 2. Problems of Performance* covers all general questions of the interpretation.
First part of the *Introduction* is also available on the website www.pwm.com.pl

The *Waltzes* prepared for print and published by Chopin are contained in a separate volume 11 **A XI**

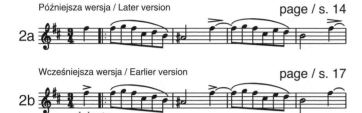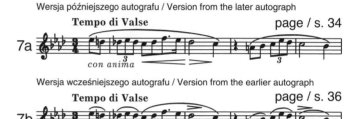 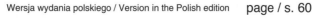

o Walcach ...

Najwcześniejsze, zaginione

„*Fryc [wiejski muzykant] jak utnie dobrzyńskiego na skrzypkach, tak wszyscy na dziedzińcu
w taniec. [...] Zaczęły się skoki, walec i obertas, aby jednak zachęcić stojących cicho
i tylko na miejscu podrygujących parobków, poszedłem w pierwszą parę walca z panną Teklą,
na koniec z panią Dziewanowską. [...]
Walca żadnego nie posyłam [...]*"

Z listu F. Chopina do rodziny w Warszawie, Szafarnia 26 VIII 1825.

WN 18

„*Walec zaś E-dur wyszły u Chaberskiego jest to ten sam, który Towarzystwo Muzyczne
Lwowskie zamieściło w swoim Album (a ja sam mu go udzieliłem w r. 1867) [...]
i stąd je snać Chaberski [...] przedrukował.*"

Z listu Oskara Kolberga do Marcelego Antoniego Szulca w Poznaniu, Kraków 15 XII 1874.

WN 19

„*[...] dwa walce [...] napisane zostały do albumu hrabiny Plater [...], ja jednak zaręczyć mogę,
że drugi z nich (h-moll) znałem jeszcze przed r. 1844, i pamiętam, że wtedy melodia
w trio nie szła w tercjach, [...] ale pojedynczo, a ku końcowi było w górze dwa razy
skasowane już gis, więc g.*"

Z listu jw.

WN 20

„*[...] bo ja już może na nieszczęście mam mój ideał, [...] który mi inspirował tego walczyka dziś rano,
co ci posyłam. Uważaj jedno miejsce + oznaczone. O tym nikt nie wie prócz ciebie. [...]
W Trio śpiew basowy powinien dominować aż do górnego es wiolinu w 5-tym takcie,
o czym ci niepotrzebnie pisać, bo czujesz.*"

Z listu F. Chopina do Tytusa Woyciechowskiego w Poturzynie, Warszawa 3 X 1829.

WN 29 (?)

„Miałem Ci posłać jeszcze nowego walca, tak dla zabawki, ale już na przyszły tydzień go odbierzesz."

Z listu F. Chopina do Tytusa Woyciechowskiego w Poturzynie, Warszawa 15 V 1830.

„[...] brak mi paru [dzieł] z Kaufmanowskiego nieprawnego wydania [...] Prosiłbym o łaskawą [...] kopię [...] także i Walca, którego Fryd[eryk] Sz[open] Panu z Warszawy posłał, jak z jego listów wyczytuję (chyba, że jest to ów e-moll Walc w edycji Gebethnera [z r. 1873])."

Z listu Oskara Kolberga do Tytusa Woyciechowskiego [adresat zmarł 9 miesięcy przed napisaniem tego listu], Modlnica 15 XII 1879.

WN 47

„[...] od czasu pańskiego wyjazdu [...] Pan był przedmiotem wszystkich rozmów. Feliks wciąż mnie prosił o Walca (ostatnia rzecz, którą otrzymaliśmy i słyszeliśmy graną przez Pana). Znajdowaliśmy przyjemność: oni w słuchaniu, a ja w graniu [...]. Zaniosłam go do oprawy [...]"

Z listu Marii Wodzińskiej do F. Chopina w Paryżu, Drezno IX 1835.

„Podobno Fryderyk napisał dla Maryni jakiś walc w sztambuchu: niech go zachowa jak relikwię i nikomu przepisać nie pozwala, aby nie spospoliciał."

Z listu Antoniego Wodzińskiego do Teresy Wodzińskiej w Służewie, Paryż X 1835.

WN 55

„Co do walczyka, który miałem przyjemność dla Pani napisać, proszę go zachować – błagam – dla siebie. Nie chciałbym, aby ujrzał światło dzienne. Natomiast pragnąłbym usłyszeć Panią grającą go [...]"

Z listu F. Chopina do Anny Karoliny de Belleville-Oury w Londynie, Paryż 10 XII 1842.

Najpóźniejsze

„Grać jeszcze nie zacząłem – komponować nie mogę [...]"

Z listu F. Chopina do Wojciecha Grzymały, Paryż 18 VI 1849.

WN 63

„Od zimy 1848 Chopin nie był już zdolny do stałej, systematycznej pracy. Od czasu do czasu wykańczał jakieś szkice utworów, nie mógł jednak doprowadzić niczego do końca. W trosce o własną sławę poprosił, by w jego oczach spalono je [...] W rękopisach pozostawił jedynie ostatni Nokturn i Walca [...]"

F. Liszt *Fryderyk Chopin*, Kraków 1960.

about the Waltzes…

The earliest, lost

*'When Fritz [a country musician] plays a [local] dance on the violin, then all in the courtyard
start dancing. [...] The capers began, a waltz and obertas, but to encourage the farmhands
standing in silence and only jiggling around on the spot, I made the first couple for the waltz
with Miss Tekla, and at the end with Mrs Dziewanowska. [...]
I send no waltz [...]'*

From a letter sent by Chopin to his family in Warsaw, Szafarnia 26 Aug. 1825.

WN 18

*'The Waltz in E major, meanwhile, published by Chaberski is the same one included in its Album
by the Lviv Music Society (and received from myself in 1867) [...] and it is presumably from there
that Chaberski [...] reprinted it.'*

From a letter sent by Oskar Kolberg to Marceli Antoni Szulc in Poznań, Kraków 15 Dec. 1874.

WN 19

*'[...] two waltzes [...] were written for the album of Countess Plater [...], yet I can vouch
that I knew the second of them (in B minor) before 1844, and I remember that then the melody
in the trio did not proceed in thirds [...] but singly, and towards the end at the top g♯ was twice cancelled,
and so g.'*

Ibidem.

WN 20

*'[...] as I already have, perhaps unfortunately, my ideal [...] who inspired me to write that little waltz
this morning, the one that I send you. Note one place marked +. No-one knows about this besides you.
[...] In the Trio the bass song should dominate until the top e♭ in the treble in the 5th bar,
which I need not explain as you feel.'*

From a letter sent by Chopin to Tytus Woyciechowski in Poturzyn, Warsaw 3 Oct. 1829.

WN 29 (?)

'I was supposed to be sending you also a new waltz, for amusement, but you'll now get it next week.'

From a letter sent by Chopin to Tytus Woyciechowski in Poturzyn, Warsaw 15 May 1830.

'[...] I am missing a couple [of works] from Kaufman's illegal edition [...] I would be most grateful [...] for a copy [...] also of the Waltz that Fryd[eryk] Sz [Szopen=Chopin] sent you from Warsaw, as I discern from his letters (unless it is that E-minor Waltz from the Gebethner edition [of 1873]).

From a letter sent by Oskar Kolberg to Tytus Woyciechowski [the addressee died 9 months before this letter was written], Modlnica 15 Dec. 1879.

WN 47

'[...] since your departure [...] you have been the object of all our conversations. Feliks kept asking me for the Waltz (the last thing we received and which we heard you play). We took great pleasure in it: they in the listening, and I in the playing [...]. I've taken it to be bound [...].'

From a letter sent by Maria Wodzińska to Chopin in Paris, Dresden Sept. 1835.

'Apparently, Fryderyk wrote for Maria some waltz in her album: may she preserve it like a relic and allow no-one to copy it, that it may not lose its lustre.'

From a letter sent by Antoni Wodziński to Teresa Wodzińska in Służew, Paris Oct. 1835.

WN 55

'As for the little waltz which I had the pleasure of writing for you, please keep it – I beg you – for yourself. I would not wish it to see the light of day. I would wish, however, to hear you playing it [...].'

From a letter sent by Chopin to Anne Caroline de Belleville-Oury in London, Paris 10 Dec. 1842.

The latest

'I've not yet started to play – and compose I cannot [...]'

From a letter sent by Chopin to Wojciech Grzymała, Paris 18 June 1849.

WN 63

'From the winter of 1848 Chopin was no longer capable of constant, systematic work. From time to time he would finish some sketches of works, but could bring nothing to completion. Anxious of his own reputation, he asked that they be burned in front of him [...] He left only the last Nocturne and Waltz in manuscript [...].'

Franz Liszt, *F. Chopin* (Paris, 1852).

Walc

TRIO

Valse

Późniejsza wersja / Later version

* Patrz *Komentarz wykonawczy.*
Vide *Performance Commentary.*

** T. 17-47 można powtórzyć. Patrz uwaga na następnej stronie.
Bars 17-47 may be repeated. Vide note on the next page.

*** Warianty w t. 21 i 29 należy traktować łącznie.
Variants in bars 21 & 29 should be treated conjointly.

(TRIO)

* T. 17-47 można powtórzyć, dodając między t. 47 a 17 następujący takt:
  Bars 17-47 may be repeated, with the following bar added between bars 47 & 17:

lub

or

* Patrz *Komentarz źródłowy*.
Vide *Source Commentary*.

Valse

Wcześniejsza wersja / Earlier version

2b

dolente

*Fine**

* Patrz *Komentarz źródłowy*, uwaga na temat formy.
  Vide remark concerning form in the *Source Commentary*.

18

TRIO

Valse
da Capo
al Fine

Valse

3

dolce e legato

Ped ❋ *Ped* ❋ *Ped* ❋ *Ped* ❋

dim.

Ped ❋ *Ped* ❋ *Ped* ❋ [Fine]

TRIO

cresc.

(ben marcato il canto)

* W całym *Walcu* **tr** = ~.
  Throughout the *Waltz* **tr** = ~.

** W źródłach prawdopodobnie błędnie:
   In the sources, probably erroneously:

(ben marcato il canto)

[Da Capo al Fine]

Valse

* Chopinowski wariant t. 17-24 wraz z repetycją
(tekst u dołu tej i następnej strony):

Chopin's 16-bar variant of bars 17-24 with repeat
(text at the bottom of this page and the next):

TRIO

Da Capo
[al Fine]

(ciąg dalszy
wariantu ze s. 22)

(continuation of the
variant from p. 22)

FWN 27 **B III**

Valse

* Patrz *Komentarz źródłowy.*
Vide *Source Commentary.*

* Patrz *Komentarz źródłowy*.
  Vide *Source Commentary*.

Valse

Wersja najpóźniejszego autografu, odtworzona na podstawie wydania J. Fontany
Version from the latest autograph reconstructed from J. Fontana's edition

WN 42

* Patrz *Komentarz źródłowy*.
  Vide *Source Commentary*.

** Wybierając wersję wariantu, należy w następującym po nim powtórzeniu t. 25 pominąć przednutkę.
   When choosing the variant version, the grace note should be omitted in the repeat of bar 25 that follows.

29

Valse

Wersja wcześniejszego autografu
Version from the earlier autograph

Da Capo
al Fine

Valse

Wersja najwcześniejszego autografu
Version from the earliest autograph

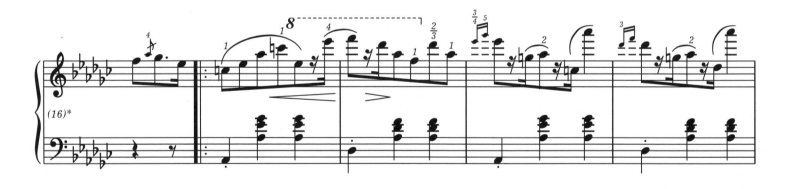

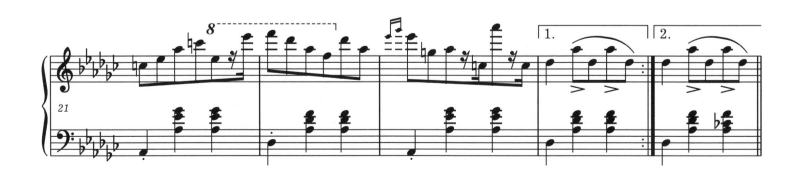

* Numeracja taktów zgodna z numeracją wersji 6a i 6b.
Numbering of the bars in accordance with the numbering of versions 6a & 6b.

Valse
A Mme Peruzzi

Wersja późniejszego autografu / Version from the later autograph

* Wariant najlepiej zastosować przy powtórzeniu lub w t. 27.
  The variant is best employed in the repeat or in bar 27.

** Wariant, którego można użyć za ostatnim pojawieniem się tej frazy, przy powrocie *Da Capo*:
   A variant which may be used in the final appearance of this phrase, in returning *Da Capo*:

TRIO

Da Capo al Fine [senza repetizione]

Valse *pour Mlle Marie*

Wersja wcześniejszego autografu / Version from the earlier autograph

* Patrz Komentarz wykonawczy.
Vide Performance Commentary.

(TRIO)

* Warianty jak w t. 11 i 14.
  Variants as in bars 11 & 14.

Da Capo al Fine [senza repetizione]

Valse

A Madame Oury

* Znaki dynamiczne w nawiasach pochodzą z innych rękopisów.
  The dynamic signs in brackets come from other manuscripts.

** Warianty najlepiej zastosować przy powtórzeniu (łącznie lub niezależnie).
  The variants are best employed in the repeat (conjointly or separately).

* Arpeggio można zastosować na początku każdego z t. 26, 34 i 42 (łącznie lub niezależnie).
  An arpeggio may be used at the beginning of each of the bars 26, 34 & 42 (together or separately).

** Patrz *Komentarz wykonawczy*.
   Vide *Performance Commentary*.

Dal Segno

Valse *A Mlle Elise Gavard*

WN 55

8b

* Znaki dynamiczne w nawiasach pochodzą z innych rękopisów.
  The dynamic signs in brackets come from other manuscripts.

** Warianty w t. 11 i 18 najlepiej zastosować przy powtórzeniu (łącznie lub niezależnie).
  The variants in bars 11 & 18 are best employed in the repeat (conjointly or separately).

* Wariant jak w t. 22. Oba warianty należy traktować łącznie.
  Variant as in bar 22. Both variants should be treated conjointly.

Walc

DODATEK • APPENDIX

Valse

Wersja wydania polskiego / Version in the Polish edition

TRIO

Da capo al fine
[senza repetizione]

Valse

Wersja wydania J. Fontany / Version in the J. Fontana edition

* Autentyczność większości oznaczeń wykonawczych jest wątpliwa.
  The authenticity of most of the performance markings is dubious.

50

Valse

Najwcześniejsza wersja / Earliest version

[Dal Segno
al Fine]

Valse

Wersja wydania J. Fontany / Version in the J. Fontana edition

* Autentyczność niektórych oznaczeń wykonawczych jest wątpliwa.
  The authenticity of some of the performance markings is dubious.

Valse

Wersja wydania polskiego i kopii J. Fontany / Version in the Polish edition and J. Fontana's copy

WN 55

Dal Segno

NATIONAL EDITION OF THE WORKS OF FRYDERYK CHOPIN

Plan of the edition

Series A. WORKS PUBLISHED DURING CHOPIN'S LIFETIME

Series B. WORKS PUBLISHED POSTHUMOUSLY

(The titles in square brackets [] have been reconstructed by the National Edition; the titles in slant marks // are still in use today but are definitely, or very probably, not authentic)

1 **A I**   **Ballades** Opp. 23, 38, 47, 52

2 **A II**   **Etudes** Opp. 10, 25, Three Etudes (Méthode des Méthodes)

3 **A III**   **Impromptus** Opp. 29, 36, 51

4 **A IV**   **Mazurkas (A)** Opp. 6, 7, 17, 24, 30, 33, 41, Mazurka in a (Gaillard), Mazurka in a (from the album La France Musicale /Notre Temps/), Opp. 50, 56, 59, 63

5 **A V**   **Nocturnes** Opp. 9, 15, 27, 32, 37, 48, 55, 62

6 **A VI**   **Polonaises (A)** Opp. 26, 40, 44, 53, 61

7 **A VII**   **Preludes** Opp. 28, 45

8 **A VIII**   **Rondos** Opp. 1, 5, 16

9 **A IX**   **Scherzos** Opp. 20, 31, 39, 54

10 **A X**   **Sonatas** Opp. 35, 58

11 **A XI**   **Waltzes (A)** Opp. 18, 34, 42, 64

12 **A XII**   **Various Works (A)** Variations brillantes Op. 12, Bolero, Tarantella, Allegro de concert, Fantaisie Op. 49, Berceuse, Barcarolle; *supplement* – Variation VI from "Hexameron"

25 **B I**   **Mazurkas (B)** in B♭, G, a, C, F, G, B♭, A♭, C, a, g, f

26 **B II**   **Polonaises (B)** in B♭, g, A♭, g♯, d, f, b♭, B♭, G♭

27 **B III**   **Waltzes (B)** in E, b, D♭, A♭, e, G♭, A♭, f, a

28 **B IV**   **Various Works (B)** Variations in E, Sonata in c (Op. 4)

29 **B V**   **Various Compositions** Funeral March in c, [Variants] /Souvenir de Paganini/, Nocturne in e, Ecossaises in D, G, D♭, Contredanse, [Allegretto], Lento con gran espressione /Nocturne in c♯/, Cantabile in B♭, Presto con leggierezza /Prelude in A♭/, Impromptu in c♯ /Fantaisie-Impromptu/, "Spring" (version for piano), Sostenuto /Waltz in E♭/, Moderato /Feuille d'Album/, Galop Marquis, Nocturne in c

13 **A XIIIa**   **Concerto in E minor** Op. 11 for piano and orchestra (version for one piano)

14 **A XIIIb**   **Concerto in F minor** Op. 21 for piano and orchestra (version for one piano)

15 **A XIVa**   **Concert Works** for piano and orchestra Opp. 2, 13, 14 (version for one piano)

16 **A XIVb**   **Grande Polonaise in E♭ major** Op. 22 for piano and orchestra (version for one piano)

17 **A XVa**   **Variations on "Là ci darem" from "Don Giovanni"** Op. 2. Score

18 **A XVb**   **Concerto in E minor** Op. 11. Score (historical version)

19 **A XVc**   **Fantasia on Polish Airs** Op. 13. Score

20 **A XVd**   **Krakowiak** Op. 14. Score

21 **A XVe**   **Concerto in F minor** Op. 21. Score (historical version)

22 **A XVf**   **Grande Polonaise in E♭ major** Op. 22. Score

23 **A XVI**   **Works for Piano and Cello** Polonaise Op. 3, Grand Duo Concertant, Sonata Op. 65

24 **A XVII**   **Piano Trio** Op. 8

30 **B VIa**   **Concerto in E minor** Op. 11 for piano and orchestra (version with second piano)

31 **B VIb**   **Concerto in F minor** Op. 21 for piano and orchestra (version with second piano)

32 **B VII**   **Concert Works** for piano and orchestra Opp. 2, 13, 14, 22 (version with second piano)

33 **B VIIIa**   **Concerto in E minor** Op. 11. Score (concert version)

34 **B VIIIb**   **Concerto in F minor** Op. 21. Score (concert version)

35 **B IX**   **Rondo in C** for two pianos; **Variations in D** for four hands; *addendum* – working version of Rondo in C (for one piano)

36 **B X**   **Songs**

37 **Supplement** Compositions partly by Chopin: Hexameron, Mazurkas in F♯, D, D, C, Variations for Flute and Piano; harmonizations of songs and dances: "The Dąbrowski Mazurka", "God who hast embraced Poland" (Largo) Bourrées in G, A, Allegretto in A-major/minor

WYDANIE NARODOWE DZIEŁ FRYDERYKA CHOPINA

Plan edycji

Seria A. UTWORY WYDANE ZA ŻYCIA CHOPINA

Seria B. UTWORY WYDANE POŚMIERTNIE

(Tytuły w nawiasach kwadratowych [] są tytułami zrekonstruowanymi przez WN, tytuły w nawiasach prostych // są dotychczas używanymi, z pewnością lub dużym prawdopodobieństwem, nieautentycznymi tytułami)

1 **A I**   **Ballady** op. 23, 38, 47, 52

2 **A II**   **Etiudy** op. 10, 25, Trzy Etiudy (Méthode des Méthodes)

3 **A III**   **Impromptus** op. 29, 36, 51

4 **A IV**   **Mazurki (A)** op. 6, 7, 17, 24, 30, 33, 41, Mazurek a (Gaillard), Mazurek a (z albumu La France Musicale /Notre Temps/), op. 50, 56, 59, 63

25 **B I**   **Mazurki (B)** B, G, a, C, F, G, B, As, C, a, g, f

5 **A V**   **Nokturny** op. 9, 15, 27, 32, 37, 48, 55, 62

6 **A VI**   **Polonezy (A)** op. 26, 40, 44, 53, 61

26 **B II**   **Polonezy (B)** B, g, As, gis, d, f, b, B, Ges

7 **A VII**   **Preludia** op. 28, 45

8 **A VIII**   **Ronda** op. 1, 5, 16

9 **A IX**   **Scherza** op. 20, 31, 39, 54

10 **A X**   **Sonaty** op. 35, 58

11 **A XI**   **Walce (A)** op. 18, 34, 42, 64

27 **B III**   **Walce (B)** E, h, Des, As, e, Ges, As, f, a

12 **A XII**   **Dzieła różne (A)** Variations brillantes op. 12, Bolero, Tarantela, Allegro de concert, Fantazja op. 49, Berceuse, Barkarola; *suplement* – Wariacja VI z „Hexameronu"

28 **B IV**   **Dzieła różne (B)** Wariacje E, Sonata c (op. 4)

29 **B V**   **Różne utwory** Marsz żałobny c, [Warianty] /Souvenir de Paganini/, Nokturn e, Ecossaises D, G, Des, Kontredans, [Allegretto], Lento con gran espressione /Nokturn cis/, Cantabile B, Presto con leggierezza /Preludium As/, Impromptu cis /Fantaisie-Impromptu/, „Wiosna" (wersja na fortepian), Sostenuto /Walc Es/, Moderato /Kartka z albumu/, Galop Marquis, Nokturn c

13 **A XIIIa**   **Koncert e-moll** op. 11 na fortepian i orkiestrę (wersja na jeden fortepian)

30 **B VIa**   **Koncert e-moll** op. 11 na fortepian i orkiestrę (wersja z drugim fortepianem)

14 **A XIIIb**   **Koncert f-moll** op. 21 na fortepian i orkiestrę (wersja na jeden fortepian)

31 **B VIb**   **Koncert f-moll** op. 21 na fortepian i orkiestrę (wersja z drugim fortepianem)

15 **A XIVa**   **Utwory koncertowe** na fortepian i orkiestrę op. 2, 13, 14 (wersja na jeden fortepian)

32 **B VII**   **Utwory koncertowe** na fortepian i orkiestrę op. 2, 13, 14, 22 (wersja z drugim fortepianem)

16 **A XIVb**   **Polonez Es-dur** op. 22 na fortepian i orkiestrę (wersja na jeden fortepian)

17 **A XVa**   **Wariacje na temat z** *Don Giovanniego* **Mozarta** op. 2. Partytura

18 **A XVb**   **Koncert e-moll** op. 11. Partytura (wersja historyczna)

33 **B VIIIa**   **Koncert e-moll** op. 11. Partytura (wersja koncertowa)

19 **A XVc**   **Fantazja na tematy polskie** op. 13. Partytura

20 **A XVd**   **Krakowiak** op. 14. Partytura

21 **A XVe**   **Koncert f-moll** op. 21. Partytura (wersja historyczna)

34 **B VIIIb**   **Koncert f-moll** op. 21. Partytura (wersja koncertowa)

22 **A XVf**   **Polonez Es-dur** op. 22. Partytura

23 **A XVI**   **Utwory na fortepian i wiolonczelę** Polonez op. 3, Grand Duo Concertant, Sonata op. 65

35 **B IX**   **Rondo C-dur** na dwa fortepiany; **Wariacje D-dur** na 4 ręce; *dodatek* – wersja robocza Ronda C-dur (na jeden fortepian)

24 **A XVII**   **Trio na fortepian, skrzypce i wiolonczelę** op. 8

36 **B X**   **Pieśni i piosnki**

37 **Suplement** Utwory częściowego autorstwa Chopina: Hexameron, Mazurki Fis, D, D, C, Wariacje na flet i fortepian; harmonizacje pieśni i tańców: „Mazurek Dąbrowskiego", „Boże, coś Polskę" (Largo), Bourrées G, A, Allegretto A-dur/a-moll

Okładka i opracowanie graficzne · Cover design and graphics: MARIA EKIER
Tłumaczenie angielskie · English translation: JOHN COMBER

Fundacja Wydania Narodowego Dzieł Fryderyka Chopina
ul. Okólnik 2, pok. 405, 00-368 Warszawa
www.chopin-nationaledition.com

Polskie Wydawnictwo Muzyczne SA
al. Krasińskiego 11a, Kraków
www.pwm.com.pl

Wyd. I. Printed in Poland 2023. Drukarnia REGIS Sp. z o.o.
05-230 Kobyłka, ul. Napoleona 4

ISMN 979-0-801540-53-9